KV-745-695

*I libri di Papa Francesco usciti presso Rizzoli*

*Aprite la mente al vostro cuore*, 2013
*La mia porta è sempre aperta*, 2013
*È l'amore che apre gli occhi*, 2013
*Siate forti nella tenerezza*, 2014
*Lo sguardo semplice e profondo dell'amore*, Bur, 2014
*La verità è un incontro*, 2014
*Nel cuore di ogni padre*, 2014
*La logica dell'amore*, 2015
*La misericordia è una carezza*, 2015
*La felicità si impara ogni giorno*, 2015
*L'amore prima del mondo*, 2016
*Nei tuoi occhi è la mia parola*, 2016
*Adesso fate le vostre domande*, 2017

Papa Francesco

con Marco Pozza

# Padre nostro

ISBN 978-88-17-09912-7

*Prima edizione: novembre 2017*

*Realizzazione editoriale:* NetPhilo, Milano

# Padre nostro

# Pregare il Padre

«Padre»: senza dire, senza sentire questa parola non si può pregare.

Chi prego? Il Dio Onnipotente? Troppo lontano, non riesco a sentirlo vicino: neppure Gesù lo sentiva. Chi prego? Il Dio cosmico? Va di moda, in questi giorni, pregare il Dio cosmico: è la modalità politeista tipica di una cultura *light*...

Tu devi pregare il Padre! È una parola forte, «padre». Tu devi pregare quello che ti ha generato, che ti ha dato la vita. L'ha data a tutti, certo; ma «tutti» è troppo anonimo. L'ha data a te, l'ha data a me. Ed è anche colui che ti accompagna nel tuo cammino: conosce tutta la tua vita, ciò che è buono e ciò che non è così buono. Se non incominciamo la preghiera con questa parola, detta non dalle labbra ma dal cuore, non possiamo pregare «in cristiano».

Abbiamo un Padre. Vicinissimo, che ci abbraccia. Tutti questi affanni, tutte le preoccupazioni che possiamo avere, lasciamoli al Padre: Lui sa di cosa abbiamo bisogno. Ma in che senso «Padre»? Padre mio? No: Padre nostro! Perché io non sono figlio unico, nessuno di noi lo è, e se non posso essere fratello, difficilmente potrò diventare figlio di questo Padre, perché è un padre di tutti. Mio, di sicuro, ma anche degli altri, dei miei fratelli. E se io non sono in pace con i miei fratelli, non posso dire «Padre» a Lui.

Non si può pregare con nemici nel cuore, con fratelli e nemici nel cuore. Non è facile, lo so. «"Padre", io non posso dire "Padre", non mi viene.» È vero, lo capisco. «Non posso dire "nostro", perché il mio fratello, il mio nemico mi ha fatto questo, quello e... Devono andare all'inferno, non sono dei miei!» È vero, non è facile. Ma Gesù ci ha promesso lo Spirito Santo: è Lui che ci insegna, da dentro, dal cuore, come dire «Padre» e come dire «nostro». Chiediamo allo Spirito Santo che ci insegni a dire «Padre» e a poter dire «nostro», facendo la pace con tutti i nostri nemici.

Questo libro contiene il mio dialogo con don Marco Pozza sul *Padre nostro.* Gesù non ci ha consegnato questa preghiera perché fosse semplicemente una formula con cui rivolgersi a Dio: con essa ci invita a rivolgerci al Padre per scoprirci e vivere come veri figli suoi e come fratelli tra di noi. Gesù ci fa vedere cosa vuol dire essere amati dal Padre e ci rivela che il Padre desidera riversare su di noi lo stesso amore che dall'eternità ha per il suo Figlio.

Spero che ognuno di noi, allora, mentre dice «Padre nostro», sempre più si scopra amato, perdonato, bagnato dalla rugiada dello Spirito Santo e sia così capace di amare e perdonare a sua volta ogni altro fratello, ogni altra sorella.

Avremo così un'idea di cosa sia il paradiso.

# I

Padre nostro che sei nei cieli,

sia santificato il tuo nome,

venga il tuo regno,

sia fatta la tua volontà

come in cielo così in terra.

Dacci oggi il nostro pane quotidiano,

e rimetti a noi i nostri debiti

come noi li rimettiamo ai nostri debitori,

e non ci indurre in tentazione,

ma liberaci dal male.

# Padre nostro

*Santo Padre, il 13 marzo 2013 per me è stata una serata un po' strana. Ero davanti alla televisione, avevo appena recitato i vespri, quindi per la liturgia della Chiesa ero già nel cuore del 14 marzo, e il 14 marzo compie gli anni la mia mamma. Il 13 marzo lei è uscito dalla loggia vaticana e noi abbiamo appreso con immenso stupore che si sarebbe fatto chiamare Francesco, Papa Francesco, e il mio papà si chiama Francesco... Quella sera ho avuto la sensazione di avere Dio così vicino come non l'avevo mai avuto prima. Per questo mi piace iniziare chiamandola Santo Padre. Per due motivi: prima di tutto perché c'è il termine Padre che richiama la figliolanza, e poi Santo perché lei è un padre che proclama la santità di Dio. Mi piace par-*

*tire proprio da qui, dal concetto di «padre», perché nella preghiera che mi ha insegnato papà quando ero bambino, il* Padre nostro*, c'è quasi lo stupore nel vedere un Dio che si fa dare del tu dalle sue creature. Mi piacerebbe sapere da lei l'emozione di pregare il* Padre nostro *dando del tu a Dio, anche per il Papa oggi.*

A me dà sicurezza. Incomincio da qui: il *Padre nostro* mi dà sicurezza, non mi sento sradicato, non ho un senso di orfanezza. Ho un padre, un papà che mi porta la storia, mi fa vedere la radice, mi custodisce, mi porta avanti e anche un papà davanti al quale io mi sento sempre bambino, perché Lui è grande, è Dio, e Gesù ha chiesto quello, di sentirsi bambino. Dio offre la sicurezza di un padre, ma un padre che ti accompagna, ti aspetta. Pensiamo alle parabole del capitolo 15 del Vangelo di Luca: la pecorella smarrita, il figlio prodigo… Un padre che, quando ti sei pentito delle strade brutte, delle strade difficili che hai preso e ti prepari il discorso da fare, non ti lascia parlare, ti abbraccia, ti festeggia. Un papà che ammonisce – «Stai attento, tieni conto di questo...» – ma ti lascia libero. Credo che oggi il mondo abbia un po' perso il senso della paternità. È un mondo malato di orfanezza. Dire e sentire il «nostro» del *Padre nostro* significa capire che non sono figlio unico. È un pericolo, quello di sentirci figli unici, che corriamo noi cristiani. No, no: tutti, anche quelli disprezzati, sono figli dello stesso Padre. Gesù ci dice: saranno i peccatori, le prostitute, gli scartati a entrare prima di voi nel regno dei cieli, tutti.

*Infatti penso che se potessimo noi metteremmo il cartello «Proprietà privata», solo mia: è proprio questa la tentazione. Sarebbe facile pregare un Dio che ha solo un figlio e quel figlio sono io. Invece sapere che il Padre è «nostro» forse ci fa sentire un po' meno soli, nei momenti difficili ma anche in quelli di spensieratezza.*

## *«Non vi lascerò orfani»*

Una parola più di ogni altra è cara a noi cristiani, perché è il nome con il quale Gesù ci ha insegnato a chiamare Dio: «padre». Il senso di questo nome ha ricevuto una nuova profondità proprio a partire dal modo in cui Gesù lo usava per rivolgersi a Dio e manifestare il suo speciale rapporto con Lui. Il mistero benedetto dell'intimità di Dio, Padre, Figlio e Spirito, rivelato da Gesù, è il cuore della nostra fede cristiana.

«Padre» è una parola nota a tutti, una parola universale. Essa indica una relazione fondamentale la cui realtà è antica quanto la storia dell'uomo. Oggi, tuttavia, si è arrivati ad affermare che la nostra sarebbe una «società senza padri». In altri termini, in particolare nella cultura occidentale, la figura del padre sarebbe simbolicamente assente, svanita, rimossa. In un primo momento, la cosa è stata percepita come una liberazione: liberazione dal padre-padrone, dal padre come rappresentante della legge che si impone dall'esterno, dal padre come censore della felicità dei figli e ostacolo all'emancipazione e all'autonomia dei giovani. Talvolta in alcune case regnava in passato l'autoritarismo, in certi casi addirittura la sopraffazione: genitori che trattavano i figli come servi, non rispettando le esigenze personali della loro crescita; padri che non li aiutavano a intraprendere la loro strada con libertà – ma non è facile educare un figlio in libertà; padri che non li aiutavano ad assumere le proprie responsabilità per costruire il loro futuro e quello della società.

Questo, certamente, è un atteggiamento non buono; però come spesso avviene, si passa da un estremo all'altro. Il problema dei nostri giorni non sembra essere più tanto la presenza invadente dei padri, quanto piuttosto la loro assenza, la loro latitanza. I padri sono talora così concentrati su se stessi e sul proprio lavoro e alle volte sulle proprie realizzazioni individuali, da dimenticare anche la famiglia. E lasciano soli i piccoli e i giovani. Già da vescovo di Buenos Aires avvertivo il senso di orfanezza che vivono oggi i ragazzi; e spesso domandavo ai papà se giocavano con i loro figli, se avevano il coraggio e l'amore di perdere tempo con i figli. E la risposta era brutta, nella maggioranza dei casi: «Mah, non posso, perché ho tanto lavoro...». E il padre era assente da quel figliolo che cresceva, non giocava con lui, no, non perdeva tempo con lui.

Ora, vorrei dire a tutte le comunità cristiane che dobbiamo essere più attenti: l'assenza della figura paterna nella vita dei piccoli e dei giovani produce lacune e ferite che possono essere anche molto gravi. E in effetti le devianze dei bambini e degli adolescenti si possono in buona parte ricondurre a questa mancanza, alla carenza di esempi e di guide autorevoli nella loro vita di ogni giorno, alla carenza di vicinanza, alla carenza di amore da parte dei padri. È più profondo di quel che pensiamo il senso di orfanezza che vivono tanti giovani.

Sono orfani in famiglia, perché i papà sono spesso assenti, anche fisicamente, da casa, ma soprattutto perché, quando ci sono, non si comportano da padri, non dialogano con i loro figli, non adempiono il loro compito educativo, non danno ai figli, con il loro esempio accompagnato dalle parole, quei principi, quei valori, quelle regole di vita di cui hanno bisogno come del pane. La qualità educativa della presenza paterna è tanto più necessaria quanto più il papà è costretto dal lavoro a stare lontano da casa. A volte sembra che i papà non sappiano bene quale posto occupare in famiglia e come educare i figli. E allora, nel dubbio, si astengono, si ritirano e trascurano le loro responsabilità, magari rifugiandosi in un improbabile rapporto «alla pari» con i figli. È vero che tu devi essere «compagno» di tuo figlio, ma senza dimenticare che tu sei il padre! Se tu ti comporti soltanto come un compagno alla pari del figlio, questo non farà bene al ragazzo.

E questo problema lo vediamo anche nella comunità civile. La comunità civile, con le sue istituzioni, ha una certa responsabilità – possiamo dire paterna – verso i giovani, una responsabilità che a volte trascura o esercita male. Anch'essa spesso li lascia orfani e non propone loro una verità di prospettiva. I giovani rimangono, così, orfani di strade sicure da percorrere, orfani di maestri di cui fidarsi, orfani di ideali che riscaldino il cuore, orfani di valori e di speranze che li sostengano quotidianamente. Vengono riempiti magari di idoli ma si ruba loro il cuore; sono spinti a sognare divertimenti e piaceri, ma non si dà loro il lavoro; vengono illusi con il dio denaro, e negate loro le vere ricchezze.

E allora farà bene a tutti, ai padri e ai figli, riascoltare la promessa che Gesù ha fatto ai suoi discepoli: «Non vi lascerò orfani» (*Gv* 14,18). È Lui, infatti, la Via da percorrere, il Maestro da ascoltare, la Speranza che il mondo può cambiare, che l'amore vince l'odio, che può esserci un futuro di fraternità e di pace per tutti.

Padre nostro che sei nei cieli,

sia santificato il tuo nome,

venga il tuo regno,

sia fatta la tua volontà

come in cielo così in terra.

Dacci oggi il nostro pane quotidiano,

e rimetti a noi i nostri debiti

come noi li rimettiamo ai nostri debitori,

e non ci indurre in tentazione,

ma liberaci dal male.

# Che sei nei cieli

*Quella localizzazione, «nei cieli»: mi colpisce l'estrema vicinanza di chi dice «papà», però anche la distanza. Tra questa vicinanza e questa distanza nascono le religioni. Forse la cosa bella della nostra è che non è l'uomo che va in cerca di Dio, ma è Dio che si mette alla ricerca dell'uomo. Che cosa sono i «cieli»?*

I «cieli» significano la grandezza di Dio, l'onnipotenza. Lui è il primo, è grande, è colui che ci ha fatto. I «cieli» indicano l'immensità della sua potenza, del suo amore, della sua bellezza. Ma pensiamo al Dio di Abramo che si avvicina e gli dice: «Io sono Dio l'Onnipotente: cammina davanti a me e sii integro» (*Gen* 17,1). Guarda, vai avanti, credi, spera, non mollare. Un Dio così vicino, dunque; ma pensiamo anche al Dio che si rivela sul Sinai: «vi furono tuoni e lampi, una nube densa sul monte e un suono fortissimo di corno», leggiamo nel Libro dell'Esodo (19,16); «Il monte Sinai era tutto fumante, perché su di esso era sceso il Signore nel fuoco, e ne saliva il fumo come il fumo di una fornace» (*Es* 19,18). Dio si rivela nella gloria, nella luce, nel fumo, nella nube, mostra la sua terribile maestà e questa è una cosa difficile da capire. Tu devi, io devo, noi dobbiamo dire «Padre nostro che sei nei cieli», ma non con un senso di umiliazione. Mi viene in mente un episodio che risale a quando avevo cinque o sei anni e mi hanno operato alla gola per togliermi… non so come si dice in italiano, in spagnolo è *amígdalas*…

*Le tonsille…*

A quell'epoca lo si faceva senza anestesia: ti mostravano il gelato che ti avrebbero dato in seguito, ti mettevano qualcosa nella bocca aperta e poi l'infermiere ti prendeva, tu non potevi chiudere la bocca e il medico con una forbice tagliava tutte e due le tonsille senza anestesia. Subito dopo ti davano il gelato ed era finita lì. Dopo l'operazione non riuscivo a parlare per il dolore e papà ha chiamato un taxi e siamo andati a casa, e una volta arrivati papà ha pagato e io sono rimasto stupito: perché papà paga questo signore? Appena ho potuto parlare, due giorni dopo, ho chiesto a papà: «Perché hai pagato quel signore della macchina?». Lui mi ha spiegato che era un taxi. «Ma come, non era tua la macchina?» gli ho risposto. Pensavo che il mio papà fosse il padrone di tutte le macchine della città! Il ricordo di questa esperienza infantile davanti a un padre che insegna e spiega ci dà un'idea del nostro rapporto con Dio, la sua grandezza ma anche la sua vicinanza. È il Dio che è grande, il Dio della gloria: ma cammina con te e quando è necessario ti dà pure il gelato.

*Mi colpisce questo termine, «orfanezza». Ho un amico che una volta mi ha detto: «A me non interessa sapere se esiste un padre, se esiste sono un po' problemi suoi». Un'altra volta ho chiesto a una persona detenuta (uno dei miei parrocchiani, dato che la mia parrocchia è il carcere): «Perché da giovane te ne sei andato di casa?». Lui mi ha risposto: «Perché l'aria con mio padre era diventata irrespirabile». Eppure tutti e due, quando il loro padre stava morendo, sono tornati al suo capezzale per dargli un ultimo saluto. Forse è quasi una versione attualizzata della parabola del capitolo 15 di Luca: si torna a casa non perché si ha fame, ma perché si sa che c'è un padre che ci aspetta.*

Sì, è sempre lì che ci aspetta. E «nei cieli» è forte e grande e maestoso – questo significa l'espressione «che sei nei cieli» – ma è vicino e cammina con noi.

## *I padri e il* Padre nostro

La prima necessità è proprio questa: che il padre sia presente nella famiglia. Che sia vicino alla moglie, per condividere tutto, gioie e dolori, fatiche e speranze. E che sia vicino ai figli nella loro crescita: quando giocano e quando si impegnano, quando sono spensierati e quando sono angosciati, quando si esprimono e quando sono taciturni, quando osano e quando hanno paura, quando fanno un passo sbagliato e quando ritrovano la strada; padre presente, sempre. Dire presente non è lo stesso che dire controllore! Perché i padri troppo controllori annullano i figli, non li lasciano crescere.

Il Vangelo ci parla dell'esemplarità del Padre che sta nei cieli – il solo, dice Gesù, che può essere chiamato veramente «Padre buono» (cfr.

*Mc* 10,18). Tutti conoscono quella straordinaria parabola chiamata del «figlio prodigo», o meglio del «padre misericordioso», che si trova nel Vangelo di Luca al capitolo 15 (cfr. 15,11-32). Quanta dignità e quanta tenerezza nell'attesa di quel padre che sta sulla porta di casa aspettando che il figlio ritorni! I padri devono essere pazienti. Tante volte non c'è altra cosa da fare che aspettare; pregare e aspettare con pazienza, dolcezza, magnanimità, misericordia.

Un buon padre sa attendere e sa perdonare, dal profondo del cuore. Certo, sa anche correggere con fermezza: non è un padre debole, arrendevole, sentimentale. Il padre che sa correggere senza avvilire è lo stesso che sa proteggere senza risparmiarsi. Una volta ho sentito in una riunione di matrimonio un papà dire: «Io alcune volte devo picchiare un po' i miei figli… ma mai in faccia per non avvilirli». Che bello! Ha senso della dignità. Deve punire, lo fa in modo giusto, e va avanti.

Se dunque c'è qualcuno che può spiegare fino in fondo la preghiera del *Padre nostro*, insegnata da Gesù, questi è proprio chi vive in prima persona la paternità. Senza la grazia che viene dal Padre che sta nei cieli, i padri perdono coraggio, e abbandonano il campo. Ma i figli hanno bisogno di trovare un padre che li aspetta quando ritornano dai loro fallimenti. Faranno di tutto per non ammetterlo, per non darlo a vedere, ma ne hanno bisogno; e il non trovarlo apre in loro ferite difficili da rimarginare.

La Chiesa, nostra madre, è impegnata a sostenere con tutte le sue forze la presenza buona e generosa dei padri nelle famiglie, perché essi sono per le nuove generazioni custodi e mediatori insostituibili della fede nella bontà, della fede nella giustizia e nella protezione di Dio, come san Giuseppe.

Padre nostro che sei nei cieli,

sia santificato il tuo nome,

venga il tuo regno,

sia fatta la tua volontà

come in cielo così in terra.

Dacci oggi il nostro pane quotidiano,

e rimetti a noi i nostri debiti

come noi li rimettiamo ai nostri debitori,

e non ci indurre in tentazione,

ma liberaci dal male.

# Sia santificato il tuo nome

*La preghiera del* Padre nostro *continua in una maniera forse perfino imbarazzante. Si dice «sia santificato il tuo nome». E quando sento la parola «nome» mi viene in mente una frase che dicono sempre al mio paese: «Ci tiene al buon nome», ci tiene alla reputazione del suo nome. Come traduce un Papa la santificazione del nome di Dio, che di per sé è già Santo? Forse qualcuno ha preso questa santità, l'ha profanata e noi chiediamo a Dio che la ripulisca con la sua grazia?*

«Sia santificato il tuo nome» in noi, in me. Perché tante volte noi credenti, noi cristiani, diamo una testimonianza triste, brutta. Diciamo di essere cristiani, diciamo di avere un padre, ma viviamo come, non dico come animali, ma come persone che non credono né in Dio né nell'uomo, senza fede, e viviamo anche facendo del male, viviamo non nell'amore ma nell'odio, nella competizione, nelle guerre. È santificato nei cristiani che lottano fra loro per il potere? È santificato nella vita di quelli che assoldano un sicario per liberarsi di un nemico? È santificato nella vita di coloro che non si curano dei propri figli? No, lì non è santificato il nome di Dio.

*Un'esperienza che sto vivendo nel carcere mi fa venire in mente la sua predicazione. Conosco un detenuto che ogni volta che entra in chiesa si addormenta completamente. Una volta ho provato a dirgli: «Guarda, forse non è una buona abitudine dormire in chiesa». Lui mi ha dato una risposta bellissima: «Sai, io sono malato di testa, non riesco a prendere sonno da nessuna parte, l'unico momento in cui sono senza pensieri è quando sono in chiesa». Mi è venuto in mente quando un giorno, rispondendo a un ragazzo che aveva confessato: «Io ogni tanto prendo sonno quando faccio l'adorazione», lei ha risposto: «Non importa, lui comunque continua a guardarti». Questo detenuto mi insegna cosa significa santificare il nome, cioè come fare l'adorazione.*

Lasciarsi guardare da Lui. Anch'io, quando vado a pregare, alcune volte mi addormento, e santa Teresina del Bambin Gesù diceva che anche a lei capitava e al Signore, a Dio, al Padre piace quando uno si addormenta. Dice il Salmo 130 – o 131, a seconda della numerazione –, quello piccolino: «resto quieto e sereno: come un bimbo svezzato in braccio a sua madre». Questa è una delle tante maniere per santificare il nome di Dio: sentirmi bambino nelle sue mani.

*Però il nome di Dio è misericordia.*

È misericordia, questo è vero. Perdona tutto, perdona tutto. Una volta è venuta a Buenos Aires l'immagine della Madonna di Fatima e c'era una Messa per gli ammalati, in un grande stadio pieno di gente. Io ero già vescovo, sono andato a confessare e ho confessato, confessato, prima della

Messa e durante. Alla fine non c'era quasi più gente e io mi sono alzato per andarmene, perché mi aspettava una cresima da un'altra parte. È arrivata però una signora piccolina, semplice, tutta vestita di nero come le contadine del Sud d'Italia quando sono in lutto, ma i suoi splendidi occhi le illuminavano il viso. «Lei vuole confessarsi» le ho detto, «ma non ha peccati.» La signora era portoghese e mi ha risposto: «Tutti abbiamo peccati…». «Stia attenta, allora: forse Dio non perdona.» «Dio perdona tutto» ha sostenuto con sicurezza. «E lei come fa a saperlo?» «Se Dio non perdonasse tutto» è stata la sua risposta, «il mondo non esisterebbe». Avrei voluto dirle: «Ma lei ha studiato alla Gregoriana!». È la saggezza dei semplici, che sanno di avere un padre che sempre li aspetta: Dio non aspetta che tu bussi alla sua porta, è Lui che bussa alla tua, a inquietarti il cuore. Lui ti aspetta per primo. A me piace dirlo in spagnolo: Dio ci *primerea.*

*Gioca d'anticipo, quasi.*

Gioca d'anticipo. Questa è la misericordia.

*Un sacerdote della mia diocesi ha tradotto così la misericordia, parlando nel carcere: «Gesù ci dice: "Avete sbagliato voi? Non importa, pagherò io"». Bellissimo questo Dio che gioca d'anticipo.*

## *Partecipare con la preghiera all'opera di salvezza*

Nel Vangelo di Luca, al capitolo 11, Gesù prega da solo, in disparte; quando finisce, i discepoli gli chiedono: «Signore, insegnaci a pregare» (v. 1); ed Egli risponde: «Quando pregate, dite: "Padre..."» (v. 2). Questa parola è il «segreto» della preghiera di Gesù, è la chiave che Lui stesso ci dà perché possiamo entrare anche noi in quel rapporto di dialogo confidenziale con il Padre che ha accompagnato e sostenuto tutta la sua vita.

All'appellativo «Padre» Gesù associa due richieste: «sia santificato il tuo nome, venga il tuo regno» (v. 2). La preghiera di Gesù, e quindi la preghiera cristiana, è prima di tutto un fare posto a Dio, lasciandogli manifestare la sua santità in noi e facendo avanzare il suo regno, a partire dalla possibilità di esercitare la sua signoria d'amore nella nostra vita.

Altre tre richieste completano questa preghiera che Gesù insegna, il *Padre nostro*. Sono tre domande che esprimono le nostre necessità fondamentali: il pane, il perdono e l'aiuto nelle tentazioni (cfr. vv. 3-4). Non si può vivere senza pane, non si può vivere senza perdono e non si può vivere senza l'aiuto di Dio nelle tentazioni. Il pane che Gesù ci fa chiedere è quello necessario, non il superfluo; è il pane dei pellegrini, il giusto, un pane che non si accumula e non si spreca, che non appesantisce la nostra marcia. Il perdono è, prima di tutto, quello che noi stessi riceviamo da Dio: soltanto la consapevolezza di essere peccatori perdonati dall'infinita misericordia divina può renderci capaci di compiere concreti gesti di riconciliazione fraterna. Se una persona non si sente peccatore perdonato, mai potrà fare un gesto di perdono o di riconciliazione. Si comincia dal cuore dove ci si sente peccatori perdonati. L'ultima richiesta, «non abbandonarci alla tentazione», esprime la consapevolezza della nostra condizione, sempre esposta alle insidie del male e della corruzione. Tutti conosciamo cos'è una tentazione!

L'insegnamento di Gesù sulla preghiera prosegue con due parabole, con le quali Egli prende a modello l'atteggiamento di un amico nei confronti di un altro amico e quello di un padre nei confronti di suo figlio (cfr. vv. 5-12). Entrambe ci vogliono insegnare ad avere piena fiducia in Dio, che è Padre. Egli conosce meglio di noi stessi le nostre necessità, ma vuole che gliele presentiamo con audacia e con insistenza, perché questo è il nostro modo di partecipare alla sua opera di salvezza. La preghiera è il primo e principale «strumento di lavoro» nelle nostre mani! Insistere con Dio non serve a convincerlo, ma a irrobustire la nostra fede e la nostra pazienza, cioè la nostra capacità di lottare insieme a Dio per le cose davvero importanti e necessarie. Nella preghiera siamo in due: Dio e io a lottare insieme per le cose importanti.

Tra queste ce n'è una, la grande cosa importante che Gesù dice oggi nel Vangelo, ma che quasi mai noi domandiamo, ed è lo Spirito Santo. «Donami lo Spirito Santo!» E Gesù lo dice: «Se voi, che siete cattivi, sapete dare cose buone ai vostri figli, quanto più il Padre vostro del cielo darà lo Spirito Santo a quelli che glielo chiedono!» (v. 13). Lo Spirito Santo! Dobbiamo chiedere che lo Spirito Santo venga in noi. Ma a che serve lo Spirito Santo? Serve a vivere bene, a vivere con sapienza e amore, facendo la volontà di Dio. Che bella preghiera sarebbe, in questa settimana, che ognuno di noi chiedesse al Padre: «Padre, dammi lo Spirito Santo!». La Madonna ce lo dimostra con la sua esistenza, tutta animata dallo Spirito di Dio. Ci aiuti lei a pregare il Padre uniti a Gesù, per vivere non in maniera mondana, ma secondo il Vangelo, guidati dallo Spirito Santo.

Padre nostro che sei nei cieli,

sia santificato il tuo nome,

venga il tuo regno,

sia fatta la tua volontà

come in cielo così in terra.

Dacci oggi il nostro pane quotidiano,

e rimetti a noi i nostri debiti

come noi li rimettiamo ai nostri debitori,

e non ci indurre in tentazione,

ma liberaci dal male.

# Venga il tuo regno

*Poi c'è quel terzo versetto, «venga il tuo regno». Di per sé Gesù è già venuto, l'incarnazione è stata, quella volta a Betlemme, il grande stupore dell'umanità. Ancora oggi, però, quasi mi sembra di sentire risuonare quel bellissimo canto, quell'invocazione che la sposa fa allo sposo: «Maranatha – vieni Signore Gesù». Tante volte nel Vangelo si dice «il regno di Dio è qui». C'è quasi un'urgenza: «Convertitevi, credete al Vangelo!». Invece qui sembra quasi che cambi il verbo: «venga», cioè un'esortazione rivolta al futuro. So che arriverà, prima o poi, ma mi prende una curiosità: come si fa a vedere il regno di Dio che nasce?*

Il regno di Dio c'è, il regno di Dio verrà. È il tesoro nascosto nel campo, è la perla preziosa per ottenere la quale il mercante vende tutti i propri averi (cfr. *Mt* 13,44-46). Il regno di Dio è il buon grano che cresce accanto alla zizzania, e contro la zizzania devi lottare (cfr. *Mt* 13,24.40). Il regno di Dio è anche speranza, il regno di Dio viene adesso ma nello stesso tempo non è ancora venuto del tutto. È venuto il regno di Dio, Gesù si è incarnato, si è fatto uomo come noi, cammina con noi, e ci dà la speranza per il nostro domani: «io sono con voi tutti i giorni, fino alla fine del mondo» (*Mt* 28,20). Il regno di Dio è il nostro possesso di una realtà; anzi è meglio rovesciare la prospettiva: è lasciarsi possedere dalla certezza che Lui è venuto. Ma nello stesso tempo c'è anche la necessità di buttare l'àncora là e aggrapparsi alla corda perché venga. Sono molto importanti questi due movimenti.

*I due tempi della salvezza: il già e il non ancora. Non vorrei forzare il senso del Vangelo, ma c'è un'immagine che io collego al regno di Dio. Papà, quando ero piccolo, mi raccontava la storia di don Lorenzo Milani, e so che lei è stato poco tempo fa a Barbiana. Per me Barbiana è un piccolo frammento del regno di Dio. Io me lo immagino così, quando vedo dei poveri che tornano protagonisti della loro storia io penso che lì il regno di Dio sta nascendo, a Barbiana, a Bozzolo, in carcere, forse anche a casa mia, certe volte. Sbaglio?*

No, non sbagli. A Barbiana mi ha colpito quell'«I care», che va contro il «Me ne frego» dell'epoca fascista. Bisogna farsi carico di questo. Mi viene in mente una frase: «Il protagonista della storia è il mendicante». Avrebbe potuto dirla Péguy. La storia si fa con i più poveri e questi sono i protagonisti della salvezza. Gesù è con loro e con tutti, ma quando invita alla festa di quel figlio che doveva sposarsi, dice: «Che vengano tutti, buoni e cattivi, tutti». La sua preferenza è comunque per i poveri. Il protagonista della storia è il mendicante, ma non solo il mendicante materiale, ma anche noi, mendicanti spirituali: «venga il tuo regno, Signore, perché senza di te non possiamo fare nulla». Dire «venga il tuo regno» è mendicare.

*Bellissimo! Il regno del mendicante.*

## *Il regno di Dio richiede la nostra collaborazione*

Il Vangelo di oggi è formato da due parabole molto brevi: quella del seme che germoglia e cresce da solo e quella del granello di senape (cfr. *Mc* 4,26-34). Attraverso queste immagini tratte dal mondo rurale, Gesù presenta l'efficacia della Parola di Dio e le esigenze del suo regno, mostrando le ragioni della nostra speranza e del nostro impegno nella storia.

Nella prima parabola l'attenzione è posta sul fatto che il seme, gettato nella terra, *attecchisce e si sviluppa da solo*, sia che il contadino dorma sia che vegli. Egli è fiducioso nella potenza interna al seme stesso e nella fertilità del terreno. Nel linguaggio evangelico, il seme è simbolo della Parola di Dio, la cui fecondità è richiamata da questa parabola. Come l'umile seme si sviluppa nella terra, così la Parola opera con la potenza di Dio nel cuore di chi la ascolta. Dio ha affidato la sua Parola alla nostra terra, cioè a ciascuno di noi con la nostra concreta umanità. Possiamo essere fiduciosi, perché la Parola di Dio è parola creatrice, destinata a diventare «il chicco pieno nella spiga» (v. 28). Questa Parola, se viene accolta, porta certamente i suoi frutti, perché Dio stesso la fa germogliare e maturare attraverso vie che non sempre possiamo verificare e in un modo che noi non sappiamo (cfr. v. 27). Tutto ciò ci fa capire che è sempre Dio, è sempre Dio a far crescere il suo regno – per questo preghiamo tanto che «venga il tuo regno» –, è Lui che lo fa crescere, l'uomo è suo umile collaboratore, che contempla e gioisce dell'azione creatrice divina e ne attende con pazienza i frutti.

La Parola di Dio fa crescere, dà vita. E qui vorrei ricordarvi un'altra volta l'importanza di avere il Vangelo, la Bibbia, a portata di mano – il Vangelo piccolo nella borsa, in tasca – e di nutrirci ogni giorno con questa Parola viva di Dio: leggere ogni giorno un brano del Vangelo, un brano della Bibbia. Non dimenticare mai questo, per favore. Perché questa è la forza che fa germogliare in noi la vita del regno di Dio.

La seconda parabola utilizza l'immagine del granello di senape. Pur essendo *il più piccolo* di tutti i semi, è pieno di vita e cresce fino a diventare «*più grande* di tutte le piante dell'orto» (*Mc* 4,32). E così è il regno di Dio: una realtà umanamente piccola e apparentemente irrilevante. Per entrare a farne parte bisogna essere poveri nel cuore; non confidare nelle proprie capacità, ma nella potenza dell'amore di Dio; non agire per essere importanti agli occhi del mondo, ma preziosi agli occhi di Dio, che predilige i semplici e gli umili. Quando viviamo così, attraverso di noi irrompe la forza di Cristo e trasforma ciò che è piccolo e modesto in una realtà che fa fermentare l'intera massa del mondo e della storia.

Da queste due parabole ci viene un insegnamento importante: il regno di Dio richiede la *nostra collaborazione*, ma è soprattutto *iniziativa e dono del Signore*. La nostra debole opera, apparentemente piccola di fronte alla complessità dei problemi del mondo, se inserita in quella di Dio non ha paura delle difficoltà. La vittoria del Signore è sicura: *il suo amore farà spuntare e farà crescere ogni seme di bene presente sulla terra.* Questo ci apre alla fiducia e alla speranza, nonostante i drammi, le ingiustizie, le sofferenze che incontriamo. Il seme del bene e della pace germoglia e si sviluppa, perché lo fa maturare l'amore misericordioso di Dio.

La Vergine Santa, che ha accolto come «terra feconda» il seme della divina Parola, ci sostenga in questa speranza che non ci delude mai.

Padre nostro che sei nei cieli,<br>
sia santificato il tuo nome,<br>
venga il tuo regno,<br>
sia fatta la tua volontà<br>
come in cielo così in terra.<br>
Dacci oggi il nostro pane quotidiano,<br>
e rimetti a noi i nostri debiti<br>
come noi li rimettiamo ai nostri debitori,<br>
e non ci indurre in tentazione,<br>
ma liberaci dal male.

# Sia fatta la tua volontà come in cielo così in terra

*E l'invocazione «venga il tuo regno» si collega molto bene con la terza: «sia fatta la tua volontà». Io confesso, Papa Francesco, che a volte anche da sacerdote faccio ancora un po' confusione tra la volontà mia e la volontà di Dio. Faccio come donna Prassede nei* Promessi sposi*: scambia il cielo con il suo cervello, poi dice «ho fatto il volere del cielo». Forse risuona l'eco di ciò che dice oggi il mondo: «ecco, è la solita passività dei cristiani, accettano tutto quello che arriva». In realtà oserei dire che fare la volontà di Dio è quasi l'opposto: significa lasciare spazio perché ci sia un Dio che ci pervada, che ci attiri a sé.*

Prendiamo i dieci comandamenti che Dio ha rivelato al suo popolo nei primi tempi del pellegrinaggio verso la Terra Promessa. Rappresentano il nucleo della volontà di Dio, ed è curioso che solo tre lo riguardino in prima persona; gli altri sette hanno a che fare con l'uomo: la volontà di Dio è non rubare, non uccidere, non fare del male, non essere bugiardi... La verità significa procedere su una strada che si allarga nella misura in cui tu ne approfondisci il senso. Si allarga e insieme diventa più sottile per la delicatezza dell'anima. I piccoli gesti della volontà di Dio, i piccoli gesti. Se noi siamo sinceri e aperti con il Signore, riusciremo a fare la volontà di Dio, perché lui non nasconde la sua volontà, la fa capire a quelli che la cercano; non forza invece coloro a cui la sua volontà non interessa, però li aspetta. Lui aspetta sempre.

*La volontà di Dio è che nulla alla fine vada perduto...*

Che nulla vada perduto.

*È un Dio in attesa. So che lei ama Jorge Luis Borges, che ha scritto: «Nelle crepe sta in agguato Dio».*

Sì, il nostro è proprio un Dio in attesa. Per questo quando si accorge che qualcuno si è perso lascia chi non è perduto e va in cerca di chi è smarrito.

## *Il sì pieno di Maria alla volontà di Dio*

Le letture dell'odierna Solennità dell'Immacolata Concezione della Beata Vergine Maria presentano due passaggi cruciali nella storia dei rapporti tra uomo e Dio: potremmo dire che ci conducono all'origine del bene e del male.

Il Libro della Genesi mostra il primo no, il no delle origini, il no umano, quando l'uomo ha preferito guardare a sé piuttosto che al suo Creatore, ha voluto fare di testa propria, ha scelto di bastare a se stesso. Ma, così facendo, uscendo dalla comunione con Dio, ha smarrito proprio se stesso e ha incominciato ad avere paura, a nascondersi e ad accusare chi gli stava vicino (cfr. *Gen* 3,10.12). Questi sono i sintomi: la paura è sempre un sintomo di no a Dio, indica che sto dicendo no a Dio; accusare gli altri e non guardare a se stessi indica che mi sto allontanando da Dio. Questo fa il peccato. Ma il Signore non lascia l'uomo in balia del suo male; subito lo cerca e gli rivolge una domanda piena di apprensione: «Dove sei?» (v. 9). Come se dicesse: «Fermati, pensa: dove sei?». È la domanda di un padre o di una madre che cerca il figlio smarrito: «Dove sei? In che situazione sei andato a finire?». E questo Dio lo fa con tanta pazienza, fino a colmare la distanza creatasi dalle origini. Questo è uno dei passaggi.

Il secondo passaggio cruciale, narrato oggi nel Vangelo, è quando Dio viene ad abitare tra noi, si fa uomo come noi. E questo è stato possibile per mezzo di un grande sì – quello del peccato era il no; questo è il sì, è un grande sì –, quello di Maria al momento dell'Annunciazione. Per questo sì Gesù ha incominciato il suo cammino sulle strade dell'umanità; lo ha incominciato in Maria, trascorrendo i primi mesi di vita nel grembo della mamma: non è apparso già adulto e forte, ma ha seguito tutto il percorso di un essere umano. Si è fatto in tutto uguale a noi, eccetto una cosa, quel no: eccetto il peccato. Per questo ha scelto Maria, l'unica creatura senza peccato, immacolata. Nel Vangelo, con una parola sola, lei è detta «piena di grazia» (*Lc* 1,28), cioè ricolmata di grazia. Vuol dire che in lei, da subito piena di grazia, non c'è spazio per il peccato. E anche noi, quando ci rivolgiamo a lei, riconosciamo questa bellezza: la invochiamo «piena di grazia», senza ombra di male.

Maria risponde alla proposta di Dio dicendo: «Ecco la serva del Signore» (v. 38). Non dice: «Mah, questa volta farò la volontà di Dio, mi rendo disponibile, poi vedrò...». No. Il suo è un sì pieno, totale, per tutta la vita, senza condizioni. E come il no delle origini aveva chiuso il passaggio dell'uomo a Dio, così il sì di Maria ha aperto la strada a Dio fra noi. È il sì più importante della storia, il sì umile che rovescia il no superbo delle origini, il sì fedele che guarisce la disobbedienza, il sì disponibile che ribalta l'egoismo del peccato.

Anche per ciascuno di noi c'è una storia di salvezza fatta di sì e di no. A volte, però, siamo esperti nei mezzi sì: siamo bravi a far finta di non capire bene ciò che Dio vorrebbe e che la coscienza ci suggerisce. Siamo anche furbi e per non dire un no vero e proprio a Dio diciamo: «Scusami, non posso», «Non oggi, penso domani», «Domani sarò migliore, domani pregherò, farò del bene, domani». E questa furbizia ci allontana dal sì, ci allontana da Dio e ci porta al no, al no del peccato, al no della mediocrità. Il famoso «sì, ma...», «sì, Signore, ma...». Così però chiudiamo la porta al bene, e il male approfitta di questi sì mancati. Ognuno di noi ne ha una collezione dentro. Pensiamoci, ne troveremo tanti di sì mancati. Invece ogni sì pieno a Dio dà origine a una storia nuova: dire sì a Dio è veramente «originale», è origine, non il peccato, che ci fa vecchi dentro. Avete pensato questo, che il peccato ci invecchia dentro? Ci invecchia presto! Ogni sì a Dio origina storie di salvezza per noi e per gli altri. Come Maria con il proprio sì.

In questo cammino di Avvento, Dio desidera visitarci e attende il nostro sì. Pensiamo: io, oggi, quale sì devo dire a Dio? Pensiamoci, ci farà bene. E troveremo la voce del Signore dentro di noi, che ci chiede qualcosa, un passo avanti. «Credo in Te, spero in Te, Ti amo; si compia in me la tua volontà di bene.» Questo è il sì. Con generosità e fiducia, come Maria, diciamo oggi, ciascuno di noi, questo sì personale a Dio.

Padre nostro che sei nei cieli,

sia santificato il tuo nome,

venga il tuo regno,

sia fatta la tua volontà

come in cielo così in terra.

Dacci oggi il nostro pane quotidiano,

e rimetti a noi i nostri debiti

come noi li rimettiamo ai nostri debitori,

e non ci indurre in tentazione,

ma liberaci dal male.

# Dacci oggi il nostro pane quotidiano

*Adesso si apre l'altra parte della preghiera del Signore. Mentre le prime erano invocazioni nel nome di Dio, adesso chiediamo qualcosa anche per noi. Abbiamo pensato a Colui che ci ama, adesso la speranza è che Lui pensi a noi: «dacci oggi il nostro pane quotidiano». Mi affascina quel plurale, «dacci»: siccome tu sei «nostro» padre, allora credo che tu pensi a me oggi, in questa precisa giornata.*

Tutto questo, nel regno di Dio raccontatoci nel Vangelo, accade mentre noi siamo seduti a tavola. È un'immagine che Gesù usa spesso. Il regno di Dio è sempre una festa, siamo a tavola, quindi dacci da mangiare. Sia che si tratti di una festa o del pasto di tutti i giorni, siamo a tavola. La forza della presenza di Dio oggi nel mondo è proprio a tavola, nell'Eucaristia con Gesù, con Gesù. Per questo chiediamo di dare da mangiare a tutti noi. Darci da mangiare quel pasto spirituale che ci fortifica, a tavola nell'Eucaristia, ma anche dare da mangiare a tutti, in questo mondo dove è così crudele il regno della fame. Quando noi preghiamo il *Padre nostro*, ci farà bene soffermarci un po' su questa petizione – «dacci oggi il pane», a me e a tutti – e pensare a quante persone non hanno questo pane. Da bambini, a casa, quando il pane cadeva, ci insegnavano a prenderlo subito e baciarlo: non si buttava mai via il pane. Il pane è simbolo di questa unità dell'umanità, è simbolo dell'amore di Dio per te, il Dio che ti dà da mangiare. Quando avanzava, le nonne, le mamme cosa facevano (e fanno)? Lo bagnavano con il latte e ci facevano una torta, qualunque cosa: ma il pane non si butta.

*La mia nonna, invece, quando io e mio fratello ci tiravamo le molliche diceva: «Bambini, non si gioca con il pane». Io oggi quando alzo l'Eucaristia da sacerdote sento dentro di me la frase della nonna: anche con questo pane, soprattutto con questo pane, non si deve giocare. Per un cristiano il pane è l'Eucaristia.*

Ma anche l'altro! Non dimentichiamo l'opera di misericordia che raccomanda di dar da mangiare agli affamati.

*Io in carcere l'Eucaristia a volte me la immagino non tanto come un premio, quanto come una medicina: se io sbaglio ho bisogno che Dio non mi tolga il suo pane ma mi faccia sentire che sono un figlio.*

È una cosa molto giusta. Se mi è permesso farmi pubblicità, l'ho scritto anch'io nell'*Evangelii gaudium* (n. 47): l'Eucaristia «non è un premio per i perfetti ma un generoso rimedio e un alimento» – una medicina – «per i deboli».

*Cioè mi fa sapere che sono comunque dentro il cuore di Dio, anche se sono caduto.*

## *Dar da mangiare agli affamati*

Nella Bibbia, un Salmo dice che Dio è colui che «dà il cibo a ogni vivente» (136,25). L'esperienza della fame è dura. Ne sa qualcosa chi ha vissuto periodi di guerra o di carestia. Eppure questa esperienza si ripete ogni giorno e convive accanto all'abbondanza e allo spreco. Sono sempre attuali le parole dell'apostolo Giacomo: «A che serve, fratelli miei, se uno dice di avere fede, ma non ha le opere? Quella fede può forse salvarlo? Se un fratello o una sorella sono senza vestiti e sprovvisti del cibo quotidiano e uno di voi dice loro: "Andatevene in pace, riscaldatevi e saziatevi", ma non date loro il necessario per il corpo, a che cosa serve? Così anche la fede: se non è seguita dalle opere, in se stessa è morta» (2,14-17) perché è incapace di fare opere, di fare carità, di amare. C'è sempre qualcuno che ha fame e sete e ha bisogno di me. Non posso delegare nessun altro. Questo povero ha bisogno di me, del mio aiuto, della mia parola, del mio impegno. Siamo tutti coinvolti in questo.

È anche l'insegnamento di quella pagina del Vangelo in cui Gesù, vedendo tanta gente che da ore lo seguiva, chiede ai suoi discepoli: «Dove possiamo comprare il pane perché costoro possano mangiare?» (*Gv* 6,5). E i discepoli rispondono: «È impossibile, è meglio che tu li congedi...». Invece Gesù dice: «Voi stessi date loro da mangiare» (*Mc* 6,37). Si fa dare i pochi pani e pesci che avevano con sé, li benedice, li spezza e li fa distribuire a tutti. È una lezione molto importante per noi. Ci dice che il poco che abbiamo, se lo affidiamo alle mani di Gesù e lo condividiamo con fede, diventa una ricchezza sovrabbondante.

Papa Benedetto XVI, nell'Enciclica *Caritas in veritate*, afferma: «Dar da mangiare agli affamati è un imperativo etico per la Chiesa universale.

[...] Il diritto all'alimentazione, così come quello all'acqua, rivestono un ruolo importante per il conseguimento di altri diritti. [...] È necessario pertanto che maturi una coscienza solidale che conservi l'alimentazione e l'accesso all'acqua come diritti universali di tutti gli esseri umani, senza distinzioni né discriminazioni» (n. 27). Non dimentichiamo le parole di Gesù: «Io sono il pane della vita» (*Gv* 6,35) e «Chi ha sete venga a me» (*Gv* 7,37). Sono per tutti noi credenti una provocazione queste parole, una provocazione a riconoscere che, attraverso il dare da mangiare agli affamati e il dare da bere agli assetati, passa il nostro rapporto con Dio, un Dio che ha rivelato in Gesù il suo volto di misericordia.

Padre nostro che sei nei cieli,

sia santificato il tuo nome,

venga il tuo regno,

sia fatta la tua volontà

come in cielo così in terra.

Dacci oggi il nostro pane quotidiano,

e rimetti a noi i nostri debiti

come noi li rimettiamo ai nostri debitori,

e non ci indurre in tentazione,

ma liberaci dal male.

# E rimetti a noi i nostri debiti come noi li rimettiamo ai nostri debitori

*Tocca poi a quell'immagine molto bella: «rimetti a noi i nostri debiti – o i nostri peccati – come noi li rimettiamo ai nostri debitori». Qui mi viene in mente un mio detenuto che la notte di Natale dell'anno scorso stava leggendo la preghiera dei fedeli e c'era scritto: «Preghiamo Dio salvatore». Lui ha fatto un piccolo errore e ha detto: «Preghiamo Dio saldatore», e mi è venuta in mente l'immagine del mio papà con la saldatrice: ci sono due pezzi rotti, il papà non li butta via e li ripara con la saldatrice. Mi sono detto: guarda i poveri come mi hanno tradotto la misericordia di Dio. Rimane irrisolta, per me, la questione dell'avverbio «come». Significa «perché anche noi possiamo fare questo» oppure il senso è: «nella misura in cui io perdono anche tu Signore perdoni me»? La prospettiva cambia.*

È una petizione che piace ai banchieri! Piace però fino a un certo punto: non è che amino molto perdonare, loro non rimettono i debiti in questo mondo dove al centro di tutto ci sono i soldi. Il perdono, il perdono, è tanto difficile perdonare. C'è una sola condizione essenziale, però, senza la quale nessuno potrà mai perdonare. Potrai perdonare se hai avuto la grazia di sentirti perdonato. Solo la persona che si sente perdonata è capace di perdonare. Io perdono perché, prima, sono stato perdonato. Pensate invece ai dottori della legge, quelli che facevano la guerra a Gesù: credevano di essere i giusti, non avevano bisogno di perdono e non capivano perché Gesù perdonava i peccatori, andava a pranzo con loro, li guariva e si mischiava con i lebbrosi. Perdonava tutti, e loro non capivano, perché si sentivano così giusti da non riuscire a gustare quell'esperienza tanto più bella. Anch'io racconterò, come cristiano, come persona, ciò che ho provato: quando una volta ho sentito che il Signore mi aveva perdonato tante cose ho pianto di gioia. Ancora oggi quando ripenso a quel pianto e tocca a me perdonare, mi dico: «Non c'è proporzione, questa è poca cosa rispetto a quella volta là».

*Le faccio una confidenza, Papa Francesco: ero di quelli che sostengono che chi sbaglia deve marcire in galera. Oggi Dio mi sta facendo la grazia di essere pastore per questa gente, assieme a loro. Del nostro incontrarci, anch'io ricordo il giorno, l'ora. Da quel giorno la mia storia non è più stata la stessa: vergognandomi, ho sentito i battiti della rinascita. L'ho imparato leggendo un suo testo, sulla grazia di sapersi vergognare. Mi sono vergognato perché avevo cacciato Dio dalla mia vita e mi son trovato a ritornare per strada alla ricerca del Padre. Non c'è nulla che oggi custodisca nel mio cuore con più gelosia dell'essermi guardato allo specchio e aver provato immensa vergogna di essermi allontanato da Lui. Da casa nostra.*

Nel racconto della passione di Gesù ci sono tre episodi che ci parlano della vergogna. Tre persone che si vergognano. La prima è Pietro. Pietro sente cantare il gallo e in quel momento prova qualcosa dentro di sé e vede Gesù che esce e lo guarda. La vergogna è tale che piange amaramente (cfr. *Lc* 22,54-62). Il secondo caso è quello del buon ladrone: «Noi siamo qui» dice all'altro compagno di sventura «perché abbiamo fatto cose brutte e ingiuste, ma questo povero innocente non ha colpe...». Si sente colpevole, si vergogna, e così, sostiene sant'Agostino, con questa vergogna ha rubato il paradiso (cfr. *Lc* 23,39-43). La terza, quella che mi commuove di più, è la vergogna di Giuda. Giuda è un personaggio difficile da capire, ci sono state tante interpretazioni della sua personalità. Alla fine, però, quando vede cosa ha fatto, va dai «giusti», dai sacerdoti: «Ho peccato, perché ho tradito sangue innocente». Quelli gli rispondono: «Che ci riguarda? Veditela tu» (cfr. *Mt* 27,3-10). Così lui se ne va con la colpa che lo soffoca. Forse se avesse trovato la Madonna le cose sarebbero cambiate, ma il poveretto se ne va, non trova una via d'uscita e si impicca. Ma c'è una cosa che mi fa pensare che la storia di Giuda non finisca lì... Magari qualcuno penserà: «Questo Papa è un eretico...». Invece no! Andate a vedere un capitello medievale nella basilica di Santa Maria Maddalena a Vézelay, in Borgogna. Gli uomini del Medioevo facevano la catechesi per mezzo delle sculture, delle immagini. In quel capitello, da una parte c'è Giuda impiccato, ma dall'altra c'è il Buon Pastore che se lo carica sulle spalle e lo porta via con sé. Sulle labbra del Buon Pastore c'è un accenno di sorriso non dico ironico, ma un po' complice. Dietro la mia scrivania tengo la fotografia di questo capitello diviso in due sezioni perché mi fa meditare: ci sono tanti modi di vergognarsi; la disperazione è uno, ma dobbiamo cercare di aiutare i disperati affinché trovino la vera strada della vergogna, e non percorrano quella che finisce con Giuda. Questi tre personaggi della passione di Gesù mi aiutano tanto. La vergogna è una grazia. Da noi in Argentina una persona che non sa comportarsi e fa del male è un «senza vergogna».

## *L'allenamento al dono e al perdono*

Oggi vorrei sottolineare questo aspetto: che la famiglia è una grande palestra di allenamento al dono e al perdono reciproco senza il quale nessun amore può durare a lungo. Senza donarsi e senza perdonarsi l'amore non rimane, non dura. Nella preghiera che Lui stesso ci ha insegnato – cioè il *Padre nostro* – Gesù ci fa chiedere al Padre: «Rimetti a noi i nostri debiti, come anche noi li rimettiamo ai nostri debitori». E alla fine commenta: «Se voi infatti perdonerete agli altri le loro colpe, il Padre vostro che è nei cieli perdonerà anche a voi; ma se voi non perdonerete agli altri, neppure il Padre vostro perdonerà le vostre colpe» (*Mt* 6,12.14-15). Non si può vivere senza perdonarsi, o almeno non si può vivere bene, specialmente in famiglia. Ogni giorno ci facciamo dei torti l'uno con l'altro. Dobbiamo mettere in conto questi sbagli, dovuti alla nostra fragilità e al nostro egoismo. Quello che però ci viene chiesto è di guarire subito le ferite che ci facciamo, di ritessere immediatamente i fili che rompiamo nella famiglia. Se aspettiamo troppo, tutto diventa più difficile. E c'è un segreto semplice per guarire le ferite e per sciogliere le accuse. È questo: non lasciar finire la giornata senza chiedersi scusa, senza fare la pace tra marito e moglie, tra genitori e figli, tra fratelli e sorelle... tra nuora e suocera! Se impariamo a chiederci subito scusa e a donarci il reciproco perdono, guariscono le ferite, il matrimonio si irrobustisce, e la famiglia diventa una casa sempre più solida, che resiste alle scosse delle nostre piccole e grandi cattiverie. E per questo non è necessario farsi un grande discorso, ma è sufficiente una carezza: una carezza ed è finito tutto e si ricomincia. Ma non finire la giornata in guerra!

Se impariamo a vivere così in famiglia, lo facciamo anche fuori, dovunque ci troviamo. È facile essere scettici su questo. Molti – anche tra i cristiani – pensano che sia un'esagerazione. Si dice: sì, sono belle parole, ma è impossibile metterle in pratica. Ma grazie a Dio non è così. Infatti è proprio ricevendo il perdono da Dio che, a nostra volta, siamo capaci di perdono verso gli altri. Per questo Gesù ci fa ripetere queste parole ogni volta che recitiamo la preghiera del *Padre nostro*, cioè ogni giorno. Ed è indispensabile che, in una società a volte spietata, vi siano luoghi, come la famiglia, dove imparare a perdonarsi gli uni gli altri.

Padre nostro che sei nei cieli,

sia santificato il tuo nome,

venga il tuo regno,

sia fatta la tua volontà

come in cielo così in terra.

Dacci oggi il nostro pane quotidiano,

e rimetti a noi i nostri debiti

come noi li rimettiamo ai nostri debitori,

e non ci indurre in tentazione,

---

ma liberaci dal male.

# E non ci indurre in tentazione

*La disperazione è una tentazione. E così arriviamo alla penultima invocazione, «non ci indurre in tentazione». Degli amici, alcuni non credenti, altri sì, ogni tanto mi chiedono: «Don Marco, può Dio indurci in tentazione?». E a me piace leggere questa invocazione in questo modo: «Siccome Satana mi tenta, aiutami a non cadere dentro le trame delle sue seduzioni». Io non posso credere che Dio mi tenti.*

Questa è una traduzione non buona. Infatti se apriamo il Vangelo nell'ultima edizione a cura della CEI, leggiamo: «non abbandonarci alla tentazione» (*Lc* 11,4; *Mt* 6,14). Anche i francesi hanno cambiato il testo con una traduzione che significa: «Non lasciarmi cadere nella tentazione».

Sono io a cadere, non è Lui che mi butta nella tentazione per poi vedere come sono caduto. Un padre non fa questo, un padre aiuta ad alzarsi subito. Chi ci induce in tentazione è Satana, è questo il mestiere di Satana. Il senso della nostra preghiera è: «Quando Satana mi induce in tentazione tu, per favore, dammi la mano, dammi la tua mano». È come quel dipinto in cui Gesù tende la mano a Pietro che lo implora: «Signore, salvami, sto affogando, dammi la mano!» (cfr. *Mt* 14,30).

*Nella nostra parrocchia del carcere la tentazione più grande con la quale Satana tenta ogni mattina di sedurci il cuore è sussurrare: «Lasciate stare, tanto non cambia niente, è tutto tempo perso». Disperare, per me, significa non avere più lo sguardo puntato sul volto di Cristo.*

Lui è la speranza, l'àncora.

*È anche vero, però, che quando sono tentato mi rendo conto di quanta grazia mi ha dato Dio nel cuore:*

*forse non me ne sarei accorto se non fossi stato tentato. Nel mio paese dicono sempre che nessuno può vantarsi di essere casto se non è mai stato tentato.*

È vero, è un bel modo di dire.

Pensiamo alla parabola del padre misericordioso (cfr. *Lc* 15,11-32). Gesù racconta di un padre che sa essere solo amore per i suoi figli. Un padre che non punisce il figlio per la sua arroganza e che è capace perfino di affidargli la sua parte di eredità e lasciarlo andar via di casa. Dio è Padre, dice Gesù, ma non alla maniera umana, perché non c'è nessun padre in questo mondo che si comporterebbe come il protagonista di questa parabola. Dio è Padre alla sua maniera: buono, indifeso davanti al libero arbitrio dell'uomo, capace solo di coniugare il verbo «amare». Quando il figlio ribelle, dopo aver sperperato tutto, ritorna finalmente alla casa natale, quel padre non applica criteri di giustizia umana, ma sente anzitutto il bisogno di perdonare, e con il suo abbraccio fa capire al figlio che in tutto quel lungo tempo di assenza gli è mancato, è dolorosamente mancato al suo amore di padre.

Che mistero insondabile è un Dio che nutre questo tipo di amore nei confronti dei suoi figli!

Forse è per questa ragione che, evocando il centro del mistero cristiano, l'apostolo Paolo non se la sente di tradurre in greco una parola che Gesù, in aramaico, pronunciava *abbà*. Per due volte san Paolo, nel suo epistolario (cfr. *Rm* 8,15; *Gal* 4,6), tocca questo tema, e per due volte lascia quella parola non tradotta, nella stessa forma in cui è fiorita sulle labbra di Gesù, *abbà*, un termine ancora più intimo rispetto a «padre», e che qualcuno traduce «papà», «babbo».

Cari fratelli e sorelle, non siamo mai soli. Possiamo essere lontani, ostili, potremmo anche professarci «senza Dio». Ma il Vangelo di Gesù Cristo ci rivela che Dio non può stare senza di noi: Lui non sarà mai un Dio «senza l'uomo»; è Lui che non può stare senza di noi, e questo è un mistero grande! Dio non può essere Dio senza l'uomo: grande mistero è questo! E questa certezza è la sorgente della nostra speranza, che troviamo custodita in tutte le invocazioni del *Padre nostro*. Quando abbiamo bisogno di aiuto, Gesù non ci dice di rassegnarci e chiuderci in noi stessi, ma di rivolgerci al Padre e chiedere a Lui con fiducia. Tutte le nostre necessità, da quelle più evidenti e quotidiane, come il cibo, la salute, il lavoro, fino a quella di essere perdonati e sostenuti nelle tentazioni, non sono lo specchio della nostra solitudine: c'è invece un Padre che sempre ci guarda con amore, e che sicuramente non ci abbandona.

Adesso vi faccio una proposta: ognuno di noi ha tanti problemi e tante necessità. Pensiamoci un po', in silenzio, a questi problemi e a queste necessità. Pensiamo anche al Padre, a nostro Padre, che non può stare senza di noi, e che in questo momento ci sta guardando. E tutti insieme, con fiducia e speranza, preghiamo: «Padre nostro, che sei nei cieli...».

Padre nostro che sei nei cieli,

sia santificato il tuo nome,

venga il tuo regno,

sia fatta la tua volontà

come in cielo così in terra.

Dacci oggi il nostro pane quotidiano,

e rimetti a noi i nostri debiti

come noi li rimettiamo ai nostri debitori,

e non ci indurre in tentazione,

ma liberaci dal male.

# Ma liberaci dal male

*Il grano e la zizzania dovranno maturare assieme sino al tempo della mietitura. È vietato anticipare i tempi del raccolto! Solo allora la zizzania verrà bruciata. «Ma liberaci dal male»: così si conclude il* Padre nostro. *E nel carcere minorile che sta sull'isola di Nisida, di fronte a Napoli, un ragazzo mi ha fatto dono di una confidenza commovente: «C'è solo una frase che io la sera prima di dormire mi ripeto sotto le coperte: "Signore, liberami dal male"». Sentirmelo dire da un ragazzo di sedici anni mi ha fatto percepire tutta la concretezza del male. Nelle sue catechesi, moltissime volte lei parla di Satana e lo smaschera.*

Questo è il male. Il male non è qualcosa di impalpabile che si diffonde come la nebbia di Milano.

È una persona, Satana, che è anche molto furba. Il Signore ci dice che quando viene scacciato se ne va, ma dopo un certo tempo, quando uno è distratto, magari dopo alcuni anni, torna peggiore di prima. Lui non entra con invadenza in casa. No, Satana è molto educato, bussa alla porta, suona, entra con le sue tipiche seduzioni e i suoi compagni. Alla fine è questo il senso del versetto: «non lasciarci cadere nel male». Bisogna essere furbi nel senso buono della parola, essere svelti, avere la capacità di discernere le bugie di Satana con il quale, ne sono convinto, non si può dialogare. Come si comportava Gesù con Satana? O lo cacciava via o, come ha fatto nel deserto, si serviva della Parola di Dio. Nemmeno Gesù ha mai avviato un dialogo con Satana, perché se incominci a dialogare con lui sei perduto. È più intelligente di noi, e ti rovescia, ti fa girare la testa e alla fine sei perduto. No, «vattene, vattene!»

*Una volta mi sono entusiasmato leggendo un brano in cui lei citava la frase di un grande poeta, Léon Bloy: «Chi non prega Dio…».*

«… prega Satana».

*Non c'è alternativa. E quindi lei ci dice che il Male va scritto con la maiuscola, «ha un nome e un cognome».*

Proprio così.

*Anche dentro casa nostra?*

Sì, dentro casa. Ma Satana è astuto e finge di essere educato con noi. Con noi sacerdoti, noi vescovi: entra con delicatezza, ma le cose finiscono male se non te ne accorgi in tempo.

## *La zizzania tra il grano buono*

La parabola del buon grano e della zizzania affronta il problema del male nel mondo e mette in risalto la pazienza di Dio (cfr. *Mt* 13,24-30.36-43). La scena si svolge in un campo dove il padrone semina il grano; ma una notte arriva il nemico e semina la zizzania, termine che in ebraico deriva dalla stessa radice del nome Satana e richiama il concetto di divisione. Tutti sappiamo che il demonio è uno «zizzaniatore», colui che cerca sempre di dividere le persone, le famiglie, le nazioni e i popoli. I servitori vorrebbero subito strappare l'erba cattiva, ma il padrone lo impedisce con questa motivazione: «Perché non succeda che, raccogliendo la zizzania, con essa sradichiate anche il grano» (*Mt* 13,29). Perché sappiamo tutti che la zizzania, quando cresce, assomiglia tanto al grano buono, e vi è il pericolo che si confondano.

L'insegnamento della parabola è duplice. Anzitutto dice che il male che c'è nel mondo non proviene da Dio, ma dal suo nemico, il Maligno. È curioso, il Maligno va di notte a seminare la zizzania, nel buio, nella confusione; lui va dove non c'è luce per seminare la zizzania. Questo nemico è astuto: ha seminato il male in mezzo al bene, così che è impossibile a noi uomini separarli nettamente; ma Dio, alla fine, potrà farlo.

E qui veniamo al secondo tema: la contrapposizione tra l'impazienza dei servi e la paziente attesa del proprietario del campo, che rappresenta Dio. Noi a volte abbiamo una gran fretta di giudicare, classificare, mettere di qua i buoni, di là i cattivi... Ma ricordatevi la preghiera di quell'uomo superbo: «O Dio, ti ringrazio perché io sono buono, non sono come gli altri uomini, cattivi...» (cfr. *Lc* 18,11-12). Dio invece sa aspettare. Egli guarda nel «campo» della vita di ogni persona con pazienza e misericordia: vede molto meglio di noi la sporcizia e il male, ma vede anche i germi del bene e attende con fiducia che maturino. Dio è paziente, sa aspettare. Che bello questo: il nostro Dio è un padre paziente, che ci aspetta sempre e ci aspetta con il cuore in mano per accoglierci, per perdonarci. Egli sempre ci perdona se andiamo da Lui.

L'atteggiamento del padrone è quello della speranza fondata sulla certezza che il male non ha né la prima né l'ultima parola. Ed è grazie a questa paziente speranza di Dio che la stessa zizzania, cioè il cuore cattivo con tanti peccati, alla fine può diventare buon grano. Ma attenzione: la pazienza evangelica non è indifferenza al male; non si può fare confusione tra bene e male! Di fronte alla zizzania presente nel mondo il discepolo del Signore è chiamato a imitare la pazienza di Dio, alimentare la speranza con il sostegno di una incrollabile fiducia nella vittoria finale del bene, cioè di Dio.

Alla fine, infatti, il male sarà tolto ed eliminato: al tempo della mietitura, cioè del giudizio, i mietitori eseguiranno l'ordine del padrone separando la zizzania per bruciarla (cfr. *Mt* 13,30). In quel giorno della mietitura finale il giudice sarà Gesù, Colui che ha seminato il buon grano nel mondo e che è diventato Lui stesso «chicco di grano», è morto ed è risorto. Alla fine saremo tutti giudicati con lo stesso metro con cui abbiamo giudicato: la misericordia che avremo usato verso gli altri sarà usata anche con noi. Chiediamo alla Madonna, nostra Madre, di aiutarci a crescere nella pazienza, nella speranza e nella misericordia con tutti i fratelli.

Padre nostro che sei nei cieli,

sia santificato il tuo nome,

venga il tuo regno,

sia fatta la tua volontà

come in cielo così in terra.

Dacci oggi il nostro pane quotidiano,

e rimetti a noi i nostri debiti

come noi li rimettiamo ai nostri debitori,

e non ci indurre in tentazione,

ma liberaci dal male.

# La preghiera del Signore

*Siamo arrivati alla fine di questa bellissima preghiera, la più bella di tutte. Come notava Simone Weil, forse non sono più state scritte preghiere che non fossero già contenute nel* Pater. *Per chiudere il cerchio, confesso che quando celebro l'Eucaristia mi stupisce sempre quella frase timorosa che il sacerdote pronuncia prima di intonare la preghiera: «Obbedienti alla parola del Salvatore e formati al suo divino insegnamento, osiamo dire». È meraviglioso quell'«osiamo dire» quasi in punta di piedi, sottovoce: è come se solo insieme trovassimo il coraggio di dire «Padre». Nella solitudine il cristianesimo non può esistere.*

Ci vuole coraggio per pregare il *Padre nostro*. Ci vuole coraggio. Dico: mettetevi a dire «papà» e a credere veramente che Dio è il Padre che mi accompagna, mi perdona, mi dà il pane, è attento a tutto ciò che chiedo, mi veste ancora meglio dei fiori di campo. Credere è anche un grande rischio: e se non fosse vero? Osare, osare, ma tutti insieme. Per questo pregare insieme è tanto bello: perché ci aiutiamo l'un l'altro a osare.

*Infatti come ha detto lei in una catechesi parlando della figura di Mosè, pregare è negoziare con Dio: se io sono assieme al popolo allora trovo il coraggio di barattare con Dio, di dirgli: «Per favore, calmati, guardaci in faccia; è vero, siamo infedeli, però siamo il tuo popolo». La preghiera come negoziazione.*

E anche Abramo ha negoziato con Dio che stava per distruggere Sodoma e Gomorra (cfr. *Gen* 18,20). Abramo intercedette per le persone giuste della città contrattando e negoziando con Dio e Dio gli rispose che non l'avrebbe distrutta se avesse incontrato trenta, venticinque, venti, dieci persone giuste nella città.

*Una sarebbe bastata perché Dio, da mendicante, entrasse in quelle città con la sua salvezza. Eppure quel giorno non c'era neanche un giusto…*

* * *

*Papa Francesco, grazie di averci raccontato, da papà, il* Padre nostro. *A lei chi l'ha insegnato il* Padre nostro, *da piccolo?*

La nonna. La nonna.

*E le capita, durante la giornata, di pregare il* Padre nostro *senza accorgersene?*

No, senza accorgermene no, ma quando mi metto a pregare viene subito.

*Per concludere il nostro incontro le offro in dono – visto che non possiedo se non l'odore delle mie pecore, del mio gregge – un verso di Goethe: «Ciò che hai ereditato dai padri riconquistalo se vuoi possederlo per davvero». Per noi il* Padre nostro *è un'eredità. Ma non basta ereditarlo, devo riconquistarlo per poter dire di possederlo.*

Per questo è importante tornare alle radici. Soprattutto in questa società sradicata, dobbiamo tornare alle radici, riconquistarle.

*Voltarsi e sentire che c'è un Padre che ci attende.*

Per questo a me piace parlare tanto del dialogo tra i ragazzi e i nonni, perché significa proprio questo: tornare alle radici.

*Recitiamo insieme il* Padre nostro.

Padre nostro che sei nei cieli,
sia santificato il tuo nome,
venga il tuo regno,
sia fatta la tua volontà
come in cielo così in terra.
Dacci oggi il nostro pane quotidiano,
e rimetti a noi i nostri debiti
come noi li rimettiamo ai nostri debitori,
e non ci indurre in tentazione,
ma liberaci dal male.

## *La preghiera dei nonni è una ricchezza*

La preghiera degli anziani e dei nonni è un dono per la Chiesa, è una ricchezza! Una grande iniezione di saggezza anche per l'intera società umana: soprattutto per quella che è troppo indaffarata, troppo presa, troppo distratta. Qualcuno deve pur cantare, anche per loro, cantare i segni di Dio, proclamare i segni di Dio, pregare per loro! Guardiamo a Benedetto XVI, che ha scelto di passare nella preghiera e nell'ascolto di Dio l'ultimo tratto della sua vita! È bello questo! Un grande credente del secolo scorso, di tradizione ortodossa, Olivier Clément, diceva: «Una civiltà dove non si prega più è una civiltà dove la vecchiaia non ha più senso. E questo è terrificante, noi abbiamo bisogno prima di tutto di anziani che pregano, perché la vecchiaia ci è data per questo». Abbiamo bisogno di anziani che preghino perché la vecchiaia ci è data proprio per questo. È una cosa bella la preghiera degli anziani.

Noi possiamo *ringraziare* il Signore per i benefici ricevuti, e riempire il vuoto dell'ingratitudine che lo circonda. Possiamo *intercedere* per le attese delle nuove generazioni e dare dignità alla memoria e ai sacrifici di quelle passate. Noi possiamo ricordare ai giovani ambiziosi che una vita senza amore è una vita arida. Possiamo dire ai giovani paurosi che l'angoscia del futuro può essere vinta. Possiamo insegnare ai giovani troppo innamorati di se stessi che c'è più gioia nel dare che nel ricevere. I nonni e le nonne formano la «corale» permanente di un grande santuario spirituale, dove la preghiera di supplica e il canto di lode sostengono la comunità che lavora e lotta nel campo della vita.

La preghiera, infine, *purifica incessantemente il cuore*. La lode e la supplica a Dio prevengono l'indurimento del cuore nel risentimento e nell'egoismo. Com'è brutto il cinismo di un anziano che ha perso il senso della sua testimonianza, disprezza i giovani e non comunica una sapienza di vita! Invece com'è bello l'incoraggiamento che l'anziano riesce a trasmettere al giovane in cerca del senso della fede e della vita! È veramente la missione dei nonni, la vocazione degli anziani. Le parole dei nonni hanno qualcosa di speciale, per i giovani. E loro lo sanno. Le parole che la mia nonna mi consegnò per iscritto il giorno della mia ordinazione sacerdotale le porto ancora con me, sempre nel breviario e le leggo spesso e mi fa bene.

Come vorrei una Chiesa che sfida la cultura dello scarto con la gioia traboccante di un nuovo abbraccio tra i giovani e gli anziani! E questo è quello che oggi chiedo al Signore, questo abbraccio!

# II

# Un *Padre nostro* fra i carcerati

*di Marco Pozza*

Sono partito dal carcere di Padova con un pugno di parole tra le mani: quelle del *Pater*. L'inferno della galera è la nostra terra di periferia, il sorriso di Papa Francesco è la nostra consolazione. Quando il treno rallenta, il benvenuto della Città Eterna è un graffito scarabocchiato sul muro di un viadotto: «Senza la base, scordatevi le altezze».

È il 4 agosto 2017. Devo intervistare il Papa per una trasmissione televisiva sul *Padre nostro*. Quando, a Santa Marta, l'ascensore si apre, il Papa è già lì: nessuna gioia, tra quelle che rallegrano il cuore, supera il sapersi attesi: «Siediti qui. Togliti la giacca: fa caldo oggi». Gli racconto di me, di loro: Enrico, Marzio, tutta gente *scassinata*, *scassinatrice*. In quell'oblò di Santa Marta gli porto l'emozione muta, l'affetto, il riso e il sorriso dei miei saltimbanchi di galera. Gli riverso addosso, come un figlio al padre, la mia storia. Lui, con il volto disteso, m'accompagna a ritroso, m'incoraggia: «Non c'è grazia più grande della vergogna per i propri peccati, don Marco».

Sul tavolo del Papa ci sono i fogli della nostra corrispondenza. Li scopro impreziositi di appunti: gioisco nel vedere le parole di un semplice prete convivere con quelle minute e profetiche di un Papa.

«Andiamo» mi dice. «Manca poco alle cinque, giù ci aspettano. Come impostiamo la conversazione sul *Padre nostro*?»

Mi viene spontanea una proposta azzardata: lasciare lì gli appunti e improvvisare.

Sorride. È un sorriso di padre, che sa di autenticità, come il pane. Quando ci sediamo per conversare, m'accorgo d'aver già iniziato da un po'. Quel suo essermi padre mi ha messo nelle condizioni migliori per raccontarci il *nostro* Padre.

Il *Padre nostro*.

Alla fine dell'intervista, Papa Francesco mi mette in mano un regalo. «Prendi: portalo a casa. Pregalo quando hai delle inquietudini.» È una statuetta in gesso di san Giuseppe dormiente. È la sua immagine prediletta del carpentiere che, unico tra gli umani, può vantarsi d'avere preso Dio come garzone di bottega. D'essere stato padre di Cristo.

Un prete di galera. Il Papa-mendicante. Giuseppe che dorme. Domattina Dio mi ricaccerà in prigione. Entrerò armato di parole. Un pugno di confidenze da spartirci: parole *francescane*, intimità del Papa/papà.

Enrico è una stoffa ruvida, sottile. Per intere stagioni, l'ho visto incorniciato da un quadrante di ferro: sbarre-cornici. «Ho collezionato un codice penale di reati.» Il male rende l'uomo materia di giurisprudenza: chiusi dentro per furto, rapina a mano armata, compravendita di refurtiva, smercio di droga, assassinio, contraffazione, abuso, terrorismo. Il peggiore, per chi nasce al maschile, è un reato che non figura nel codice: sottrazione di *paternità*. «Tra tutti, nessuno mi lacera più dell'aver reso orfano mio figlio, strappandogli il diritto di crescere con il padre. È nato che io ero già dentro: l'ho visto crescere nelle sale-colloqui delle prigioni. Ha fatto il Giro d'Italia delle galere: gattonava, camminava, infine correva. Un giorno ha corso così forte che è scappato via: non ce l'ha fatta più a venire a trovarmi.»

Enrico tiene gli occhi sbarrati: sta vedendo nitidamente tutto, è un'anima in pena che si è affacciata sull'inferno. «Quando lo chiamo, tremo. So già cosa mi chiede: "Papà, quando vieni a casa a trovarmi?". Alle sentenze dei tribunali ci ho fatto il callo, ma la domanda di mio figlio è una sorta di lama della ghigliottina: impiega notti insonni a calare. Nella mia storia di bandito non c'è sangue: al mio bambino, ho rubato il papà. Quel padre sono io: mi sono auto-rubato il figlio.»

«Vuoi un riassunto breve della mia vita? È semplicissimo: ho infangato il buon *nome* di mio padre. La buon'anima di mio padre era un contadino onesto della campagna del Veneto. Io, a sedici anni, già mi ero fatto un *nome*: banche, oreficerie, poste. L'arresto, il carcere. La prima volta che sono tornato, mi ha detto: "La porta è aperta se segui le regole". Un anno dopo, ancora sbarre: ha chiuso la porta. Per sempre.» È legge di necessità che i padri scrivano le regole, che le madri organizzino le riparazioni: «È rimasta mia madre. Mentre stava per morire, la polizia mi ha portato a salutarla: "Ricordati che ti ho voluto un gran bene" mi ha sussurrato. A pronunciare "mamma", ho le vertigini». Il Dio del galeotto è un nome declinato al femminile.

Date al cielo una crepa, farà franare un bastione: «Nelle crepe sta in agguato Dio». Per riaprire porte murate. Ci sono porte e porte: quelle automatiche, manuali, scorrevoli. Porte di ferro, di bronzo, di rame. Per un ladro, è una beffa trovare porte di misericordia: per un anno, fratelli-lupi, le porte non occorrerà nemmeno scardinarle: la porta di Dio ha il nome di misericordia. Misericordia a torrenti: annuncio del Pontefice.

«Quand'ero giovane, ho sposato la *volontà* del male. L'anno scorso mi hanno presentato il vero conto: "Fatti curare, poi torna a finire la galera".

Sbattuto fuori dal carcere, incompatibile. Neanche più il carcere mi voleva: il cancro mi assediava. Dove vado a morire? Avevo terra bruciata attorno. La *sua* volontà è stata sentenza capitale: un prete mi ha spalancato la porta della sua casa. Ero abituato ad aprirle io le porte! Dopo trent'anni di galera, se sopravvivrò è per quella porta trovata aperta, giusto nell'Anno della Misericordia: quasi una beffa. Di fronte a quella porta, il mio vecchio *regno* è morto definitivamente: ha vinto la sua *volontà*.»

Per strada, quando lo incrociano, lo chiamano «signor Enrico».

Un'immagine, un'idea ha illuminato la stanza durante l'intervista con il Papa: il vero protagonista della storia è il mendicante. Capisco che quelli del mendicante sono anche i lineamenti del Dio che egli ama, prega, scopre ogni giorno nuovo accanto a sé: l'imprevisto, il non-prevedibile. L'annuncio, il più stordente tra quelli scagliati dal cielo, è però sempre ancora lo stesso: che l'eternità ha deciso di andare a confinarsi nel tempo. Che il tempo è andato ad abitare nell'eternità.

Dio-mendicante. Dio potente nell'impotenza: il Dio rannicchiato nell'odore cencioso della prigione. Mendicare è verbo d'indigenza: la trama feriale del povero, la donna curva sotto i portici della città, l'uomo che tramesta nell'immondizia, il recluso tra le sbarre. I barconi, i muri, i cassintegrati: la vita, vista da vicino. Guardando Gesù, è proprio vero che il Dio di Francesco è un mendicante di attenzioni: «Non ha apparenza né bellezza per attirare i nostri sguardi». Sofferente, misero a guardarsi, «uno davanti al quale ci si copre la faccia. Era disprezzato e non ne avevamo alcuna stima» (*Is* 53,2.3). È la grammatica di Francesco: il Dio delle sorprese, degli interstizi, il Dio in agguato, quello adorato-meditato-mangiato. Il Dio che si capisce solo coniugando i verbi al passivo, che è forma attiva della grazia celeste: lasciarsi sorprendere, accettare d'essere amati. Lasciare che Dio si occupi di noi. Ammettere che solo Dio potrà ringiovanirci dall'interno: «Guarda, io faccio nuove tutte le cose» (*Ap* 21,5).

In un poveraccio giace Dio. «Nessuna cella è così distante da impedire a Dio di abitarla». L'annunciazione di Francesco al carcerato: Misericordia! «Ogni volta che passeranno per la porta della loro cella, rivolgendo il pensiero e la preghiera al Padre, possa questo gesto significare per loro il passaggio della Porta Santa.» Libertà dietro le sbarre, garanzia di sicurezza: appartengo, e ne vado sempre più orgoglioso, all'umile casato del mendicante, la cui sola ricchezza è l'indigenza.

Il Papa pellegrino a Bozzolo, a Barbiana sulla tomba del Priore, lavapiedi nelle carceri infestate di peccatori. Il Papa che entra nel porto di Lampedusa a bordo di un barcone, che varca la soglia della casa di un gruppo di sacerdoti sposati. Il Papa-mendicante, postino di un Dio-mendicante. Riconoscere Dio «in borghese» è salvarsi, anche ri-conoscersi meglio. Se non si è mai allenati alla sua invasione, che almeno ci trovi coi sandali ai piedi (cfr. *Es* 12,11). La promessa è di esserci: circa modalità e tempistiche, l'amore chiede il lusso di fare da sé.

Ancora parole di mendicante: il pane, i debiti, la tentazione da schifare, il Maligno da bestemmiare. Mi rimetto sulla sua traiettoria.

Rannicchiato sui libri all'angolo della saletta, in galera, a Marzio pareva di non servire più a nessuno: lo salutavano come si saluta un sopravvissuto. Adesso, di quelle stagioni, ricorda il sapore del pane: «In prigione, tra gli scartati, ho ritrovato la solidarietà, che fuori avevo visto morire. Dentro, dividendo il poco, tutti si sentono meno poveri. Non si cucina da soli: per far bollire l'acqua servono due fornelli, un altro per fare il sugo. Ogni detenuto ha un fornello: servono tre detenuti per preparare una pasta buona! Il cibo è amicizia: a Natale e Pasqua si inizia a cucinare giorni prima. È nostalgia: "Il sugo è come quello di mia madre. Il ragù come lo faceva mia nonna. Le acciughe... quelle del mio mare". I companatici fanno da svago: qui dentro le ore non passano mai. I rumori sempre gli stessi: risa soffocate, cigolio di molle, parole strozzate. Garrito di gabbiani, bestemmie, grida, parole-codice: "Aria, doccia, colloqui. Magistrato, direttore, scuola"». A messa! «Quante volte quel *Pane* mi ha guardato, l'ho guardato. Mi ha letteralmente salvato dalla disperazione, dal sentirmi dannato: pensavo fossimo al capolinea là dentro. Adesso capisco che ero in rampa di lancio». In carcere ogni quarto d'ora s'invecchia di anni. Il cielo, quando il frutto è maturo, patisce l'attesa: «Stasera sarai con me in paradiso» (*Lc* 23,43). Stasera è complemento di tempo istantaneo.

«Negli anni della detenzione, ho pagato doppio la perdita di paternità. È morto mio padre, sono morto anch'io come padre: ho visto sciogliersi la famiglia che avevo costruito. Per troppa vergogna, forse: "La moglie del bandito, le figlie del carcerato". Gli innocenti di casa mia sono finiti sotto i riflettori del paese. Chiedere perdono? Troppo. Ho iniziato io ridando indietro il perdono raccolto in galera: sono stato perdonato, ho perdonato l'abbandono.» Un raggio di luce gettato nell'oscurità della galera: «Era un debito: arriverà una risposta di ritorno, o forse no. Ci sono *debiti* che si mutano in crediti, altri restano insoluti. Ho dato senza pretesa: mi pareva giusto così».

Marzio ha più di duemila notti di galera nella memoria. «Le prime mi pareva di soffocare: quel cratere di cemento mi ingoiava. È un ricettacolo di male, un baratro. La *tentazione* lusinga: rassicura, risolve. Ero finito nel paese delle tentazioni: la più micidiale era quella di non riuscire più ad apprezzare la vita. Di arrendersi, di lasciarsi vivere: dell'ozio, del nulla, della branda.» La tentazione è un tossico a due passi dal buco: corre all'impazzata. Quando stramazza, il cielo la sbeffeggia: «Dov'è, o morte, la tua vittoria? Dov'è, o morte, il tuo pungiglione?» (*1 Cor* 15,55). È parola di Paolo, di Marzio: «La mia migliore tentazione è stata la tentazione di cambiare. Il male ha attentato alla mia vita, è stata una tentazione: adesso ammetto che, quando si è all'inferno, la tentazione più gigantesca è meritare il paradiso». *Il vagabondo* è tornato al suo paese: «Uscito dal carcere, per il mondo sono rimasto il mio reato, non sono ancora tornato una persona. Amen! Cercherò di non perdere la traiettoria dello sguardo di Dio». Morto il delitto, Dio penserà al derelitto.

Giocando d'allegrezza. Quella che ha fatto ribaltare di risate quel giamburrasca di Enrico: «Che mi liberi dal male? Guarda quanto grossa me l'ha combinata: io, ladro, mai avrei pensato che un giorno mi fregassero così, con una porta spalancata. Questa è la mia vera galera: perché tanto amore a un vecchio bandito come me? Adesso tante cose sono cambiate: liberato dal male, che m'importa più della malavita?». Enrico è un cavallo di ritorno.

Esco dal carcere. Le campane della chiesa vicina suonano le quattro: inizia la messa. Ieri, Piazza San Pietro, la campana batteva le quattro. Varcavo un cancello in entrata, oggi varco un cancello in uscita: è l'ultimo di diciassette. Francesco, quando alza lo sguardo, contempla la sua basilica: lì dentro, Michelangelo carezzò il marmo e scolpì la Donna nell'attimo della *pietà.* Alzo lo sguardo anch'io: scruto le tracce di un uomo che, sospinto dallo Spirito, ha toccato le porte delle celle e le ha mutate in porte sante. Facendo di una loro donna un'immagine dolcissima: la Chiesa è come la mamma di un detenuto, «sa metterci la faccia per suo figlio anche nei sentieri di perdizione».

C'è Marzio con me. Qualche chilometro più in là, c'è Enrico che prepara la cena per i suoi preti. C'è il *Pater noster*.

Abbiamo scoperto territori ancora vergini da riconquistarci. Poveri cristi si son riciclati: fanno da sentinella alla misericordia.

# Fonti

L'intervista di don Marco Pozza a Papa Francesco è stata realizzata a Santa Marta il 4 agosto 2017 per TV2000.

La prefazione *Pregare il Padre* riprende in parte, con variazioni e integrazioni, l'omelia di Santa Marta del 20 giugno 2013, pubblicata con il titolo *Non possiamo pregare il Padre, se abbiamo nemici nel cuore* in Papa Francesco, *La verità è un incontro*, Rizzoli 2014.

Queste sono le fonti dei brani che concludono le sezioni della I parte:

«Non vi lascerò orfani»
*Udienza generale, 28 gennaio 2015*

I padri e il *Padre nostro*
*Udienza generale, 4 febbraio 2015*

Partecipare con la preghiera all'opera di salvezza
*Angelus, 24 luglio 2016*

Il regno di Dio richiede la nostra collaborazione
*Angelus, 14 giugno 2015*

Il sì pieno di Maria alla volontà di Dio
*Angelus, 8 dicembre 2016*

Dar da mangiare agli affamati
*Udienza generale, 19 ottobre 2016*

L'allenamento al dono e al perdono
*Udienza generale, 4 novembre 2015*

Il fondamento della nostra speranza
*Udienza generale, 7 giugno 2017*

La zizzania tra il grano buono
*Angelus, 20 luglio 2014*

La preghiera dei nonni è una ricchezza
*Udienza generale, 11 marzo 2015*

# Indice

Finito di stampare
nel mese di novembre 2017 presso
Grafica Veneta – Trebaseleghe (Padova)

Printed in Italy